TRYDAR
mewn
TRAWiaDau

I Dafydd,

Gyda chofion cynnes,

Llian

TRYDAR
mewn
TRAWIADAU

LLION JONES

ⓟ Llion Jones / Cyhoeddiadau Barddas ©
Ail argraffiad 2013

ISBN 978-190-6396-60-2

Cyhoeddwyd gyda chymorth ariannol Cyngor Llyfrau Cymru.

Cyhoeddwyd gan Gyhoeddiadau Barddas.

Argraffwyd gan y Lolfa Cyf., Tal-y-bont.

I Sioned, Cian, Cadi a Carwyn

Adar o'r unlliw ...

DiOLCH am DeSTUN DiOLCH ...

I Elena Gruffudd am ei ffydd yn y syniad gwreiddiol ac am ei holl waith yn ei wireddu.

I Elgan Griffiths am ei ddyfeisgarwch a'i ddychymyg.

I Emyr Lewis am fwrw golwg dros y cyfan gyda'i graffter arferol.

I Peredur Lynch am ei gyfraniadau sylweddol i ddau englyn a chwpled – fan lleiaf!

I aelodau timau Talwrn Penrhosgarnedd a Chaernarfon am y gwmnïaeth a'r ysgogiad.

I Seiriol Hughes, Stephen Rees, Phil Stead a Phrifysgol Bangor am gael defnyddio eu lluniau.

I drydarwyr y Gymraeg am eu cymdeithas a'u hysbrydoliaeth.

I Sioned am brynu'r iPhone i mi ac i'r plant am roi cyfle i mi ei ddefnyddio – weithiau. Yn fwy na dim, am eu hamynedd â dyn sy'n byw yn y cwmwl.

#Problem y Byd Cyntaf
Inbocs a'i faint yn enbyd sy'n bryder neu her o hyd.
17 Mawrth 2009 | 23:15

#Bodlonrwydd
Mae troi am adra, siopa am swper yn ddigonol i gladdu dydd Gwener.
17 Chwefror 2012 | 18:24

#Rhyfeddod Newydd yn Siop Apple
Ai hyn yw diwedd pob dyhead? Dwyawr epic yn cydio'r iPad.
7 Awst 2010 | 16:33

#Comic Sans
Un ffont â gormod o ffans, i lygaid golygydd mae'n niwsans, wy'n casáu gweld Comic Sans.
31 Mawrth 2012 | 13:22

#iPhone4Saesneg
Siri a wnei di siarad yn fy nghlyw hen iaith fy ngwlad?
Ond 'no' yw dy fyrdwn 'nôl yn yr iaith gorfforaethol.
22 Hydref 2011 | 12:16

#Caru Cyri
Saif hyn ar frig fy CV – 'Hoff o reis a Jalfrezi'.
21 Ebrill 2010 | 18:54

#Nos Fawrth Crempog

Fel cryman drwy Dir na n-Og y daw cramp wedi crempog.

8 Mawrth 2011 | 20:42

#Seigiau Sydyn

I enaid wedi blino mae 'na werth i Domino.

15 Ebrill 2011 | 17:39

#Wythnos Wlyb

Bore Llun – mae'n bwrw llynnoedd.

13 Medi 2010 | 07:23

Bore Mawrth – mae'n bwrw mwy!

14 Medi 2010 | 06:13

Bore Mercher gwlyb diferol.

15 Medi 2010 | 06:58

#O law i law
Pery o hyd rhyw atgof prin am hafau ym Mehefin.
12 Mehefin 2011 | 13:33

#Cenllysg ar Alban Hefin
Gyrru hewlydd hirddydd haf drwy gawod oer
y gaeaf.
21 Mehefin 2011 | 07:44

#Haul ar Fryn
Tybed be 'di hwn uwch ben? Fe wela i bêl fawr
felen.
12 Mai 2012 | 07:43

#Cysur Awst
Ofer yng Ngwynedd heddiw, cynnig cig o farbeciw,
yn syrffed haf eithafol, cysur Awst yw caserôl.
27 Awst 2012 | 16:33

#CYFFES

DWI'N BYW A BOD YN Y BÔN I RAFFU TWEETS TRWY'R IPHONE A HYNNY AR GYNGHANEDD, RHOI HEN DDWEUD AR NEWYDD WEDD.

 12 Gorffennaf 2010 | 18:11

#Cyfyng Gyngor Bore Sadwrn

Hacio'r reff neu hacio'r iaith, mor hynod rym yr heniaith.

28 Ionawr 2012 | 10:49

#Dim Cyfyng Gyngor

Dewis hawdd – y Steddfod Sir neu'r pyb – i Gymro pybyr?

26 Mawrth 2011 | 09:25

#Y Diwc yn y Penawdau

Y mae pledren un henwr ar niws deg yn creu cryn stŵr.

15 Awst 2012 | 22:09

#Pethau Bychain mewn Gwesty Moethus

Dewi Sant a'i doiled swanc.

7 Rhagfyr 2011 | 17:53

Y BYD SYDD OHONI

#Yn y gym

Fan hyn â'm gwynt yn fy nwrn, feri sad fore Sadwrn!

11 Medi 2010 | 11:11

#Lladd Amser

Digalon ydyw gwylio fideos Subbuteo sbo.

25 Mawrth 2012 | 11:48

#Barrug y Bore

Da was, y tun de-icer, trwot ti caf godi gêr.

16 Ionawr 2012 | 08:22

#Penbleth

DVD ar aelwyd wâr neu fferru ar Ffordd Farrar?

27 Tachwedd 2009 | 18:12

Braf datgan fore trannoeth: DVD – y dewis doeth.

28 Tachwedd 2009 | 08:26

#Helfa Dwrci M&S

Yn un haid y down fan hyn yn daer i brynu deryn.

23 Rhagfyr 2011 | 06:56

#Adeste Fideles

Lawr i Fangor eto'r af – Nadolig munud olaf.

23 Rhagfyr 2011 | 12:43

#Tangnefedd yr Ŵyl

I'r twit mewn car Toyota, boed i chdi gael
Dolig da.

22 Rhagfyr 2011 | 18:36

#Cyfarchion yr Ŵyl

I chi, boed twrci teircoes.

25 Rhagfyr 2009 | 09:06

#Dihareb

Rwy'n twitro'r un hen stori, gŵyl y banc a gwlyb yw hi.

9 Ebrill 2012 10:02

#Dolig 2010

Ag awel fain y gaea' yn gafael, fe gyfyd yn ara'
nodau hen ewyllys da, alawon haleliwia.

21 Rhagfyr 2010 | 21:12

#Cyri Calan

Y pryd poethaf fynnaf i yn galennig eleni.

31 Rhagfyr 2009 | 19:31

#Calennig

Rhodd Calan, rhag bod anrhefn wedi'r ŵyl, yw dod
i drefn.

3 Ionawr 2012 | 07:56

#Wythnos y Glas 2012

Ar bafin llwyd y ddinas mae eto'n glawio ar y glas.

24 Medi 2012 | 8:27

#Marwnad Denzil
Yn ddi-densiwn daeth diwedd Denzil.
19 Ionawr 2012 | 20:25

#Ar Raglen Roy Noble
My humdrum tweets have somehow gone global
with Noble now.
4 Ebrill 2011 | 23:22

#Ffarwél Huw Eic

Hyd yr hwyr yn stiwdio'r iaith y mae un yma o hyd
â'i afiaith yn rhoi hwyl yr ŵyl ar waith gan rannu
egni'r heniaith ...
10 Awst 2012 | 21:42

ond Huw, â'r gân yn tewi, o adael y stiwdio a glywi
wylwyr y wlad yn holi beth fydd steddfod hebot ti?
10 Awst 2012 | 21:43

#Ta-ta i Betty Turpin

Di-drydar fu 'ngalaru ar y daith drwy'r oriau du; am
ryw hyd, daeth byd i ben, do, ysigwyd y swigen, y
mae hi'n nos arnom ni ...
16 Hydref 2011 | 20:47

... heb hot-pot a heb Betty.
16 Hydref 2011 | 20:48

#Achub @lisagwilym

Hynawsedd y ferch drws nesa a bys ar bŷls byd
y bandia', mae'i chwaeth at gerddoriaeth dda'n
bleser, rhaid achub Lisa.
27 Awst 2012 | 19:18

#Rhesymeg Gwilym Owen

Yr hwn sy'n trydar drwy'r iaith yw'r un sy'n
mwrdro'r heniaith.
3 Awst 2011 | 09:14

#Yn y Rhes Flaen

Gydol oes bu Geddy Lee yn arwr fy mhosteri – drwy'i
gân o'r llwyfan ger llaw, heno rwyf eto'n ddeunaw.
19 Mai 2011 | 20:26

#Peredur ap Gwynedd

Creu campau ar dannau dur yw paradwys Peredur.
24 Awst 2012 | 22:29

#Pesda Roc 2012

Yn Neuadd Ogwen fy arddegau, heno, rwy'n diwygio'r wythdegau.
24 Awst 2012 | 19:07

Dydy rocwyr fyth rhy hen i reggae ym Mro Ogwen.
24 Awst 2012 | 21:45

Pan fo Jarman yn canu, rwy'n dengid i dacsi du.
25 Awst 2012 | 00:13

#Côr Seiriol yn croesi Ewrop

Mae'r byd cerdd dant i gyd yn y fantol ... aros awyren y mae Côr Seiriol.

27 Hydref 2011 | 05:04

#Rhoi Gitâr ar Fenthyg i Carwyn Colorama

Y gitâr a'i deuddeg tant lwyddodd i gael
ei haeddiant.

3 Mawrth 2012 | 11:26

#Diwedd Cyfres – I @gwilymed

Y mae rhyngof a'r Gofod enaid byw yn peidio
â bod.

1 Tachwedd 2011 | 15:48

#Soundcheck

1:2:12 daeth y dydd i rannu iaith peiriannydd.

1 Chwefror 2012 | 17:30

#Cofio Gary Moore

Mae sain dy gitâr Gary yn gân felan ynof i.

6 Chwefror 2011 | 20:21

#Riffiau Ddoe

Gyda'r gitâr yn y to
a fyntau dan fantell
parchuso, daw nodau
un i'w hudo drachefn i
far cefn y co'.

5 Gorffennaf 2012 | 01:52

#Tai Bach y Byd – Ifor ap Glyn

Egwyl braf annisgwyl braidd yw teledu toiledaidd.

3 Mai 2012 | 22:19

#Cofio Jim Marshall

Nos da – ni fydd distewi ar synau dy ampiau di.

5 Ebrill 2012 | 13:14

#Cau Siop Recordiau'r Cob

Canu'n iach a chanu cnul Nirfana'r casglwr feinyl.

24 Mawrth 2012 | 13:45

#Gŵyl y Banc

Boncyrs yw dathlu'r banciau a fu'n chwalu'r bur hoff bau.

27 Awst 2012 | 12:09

#Comisiwn Etholiadol

Ai gwynfyd? Ai risg enfawr yw rhoi Môn ar y tir mawr?

11 Ionawr 2012 | 08:15

#Yr Ymerodraeth Vawr

Nid ydym elwach o fachlud yr haul ar hon, mae'r meddylfryd yn fyw a'r hen ysfa o hyd i arwain ac ymyrryd.

19 Mai 2012 | 10:30

#Llwgu ar Egwyddor

Dyma swper y werin – bwyd a becynnwyd i'r cwîn.

13 Mai 2012 | 19:04

#Lliwiau Cywilydd

Â Britain mewn bri eto, a bynting yn bontydd yn Tesco, heibio'r awn i wared bro o liwiau'r jiwbilïo.
19 Mai 2012 | 13:45

#S4C

Ym Mabel y sianeli a oes 'na un i'n llais ni?
6 Tachwedd 2010 | 10:45

#I Newyddiadurwyr y BBC

Taenwch eich bwletinau â bynting, trwy bentwr o ffaglau a jiwbilî o liwiau daw GB i'r bur hoff bau.
11 Mehefin 2012 | 00:02

#Gair i Gall

A glywsoch chi adar yn 'trydaru'?
13 Mawrth 2012 | 21:29

"An astounding £400k on translation: What world are these AMs living in?"

Western Mail | 22 Mai 2012

#Western Fail
Llais y genedl yn llosgi heno?
22 Mai 2012 | 07:15

#Ynni Uniaith
Dyw hawliau iaith ddim yn gweithio o gael E-on i'w goleuo.
9 Hydref 2012 | 18:08

#Gwaed Glas
Ian Gill yn gwmni gwâr yn y ffair ar Ffordd Farrar.
30 Ebrill 2011 | 14:08

#CPD Bangor yn Ewrop
Heno, af at yr afon, mae Ewrop fawr i lawr y lôn.
5 Gorffennaf 2012 | 17:42

#Cynghrair Gwyrfai dan 10

Am her i werthoedd y mans yw reffio tîm o ryffians.

19 Mawrth 2011 | 10:31

#Y Bangor Eye

Rhif un ar lannau'r Fenai yw'r arwr hwn – Bangor Eye.

30 Ebrill 2011 | 15:23

#Cywaith gyda Carwyn (11 oed)

Mae Messi yn amêsing, yn Nou Camp y fo 'di'r king!

7 Mawrth 2012 | 21:25

#Ffarwél Ffordd Farrar

Ffarwél i Ffordd Farrar aye, fe awn at lannau'r Fenai.

27 Rhagfyr 2011 | 16:27

#Gobaith Diwedd Tymor

Mae'r gleision ar y lonydd ar y daith i gario'r dydd yn nhŷ y Seintiau Newydd.

21 Ebrill 2012 | 12:15

#Dadrith Diwedd Tymor

Yn y bôn, rhyw le go big oedd plasty'r gorchudd plastig.

21 Ebrill 2012 | 16:25

#Nos Da Nostalgia

Dyw'r hyn a glywaf ond mwsh aflafar, tun ffa a
weiren yw tannoy Farrar.

27 Rhagfyr 2011 | 13:59

#Les Davies ar ei enwebu gan UEFA

Super Les! Ai Pirlo yw? Gwaredwr Bangor ydyw.

16 Gorffennaf 2012 | 18:51

#Stadiwm Book People

Addas ar faes dinas dysg yw'r nawdd i'w dewrion
hyddysg, creu Athen ger y Fenai yw gorau arf
Bangor aye.

16 Awst 2012 | 17:43

#A Tweet from the Book People Stadium

Reading a game on Friday in a place for cultured
play.

17 Awst 2012 | 19:20

#Byd y Bale
Â'i garnau'n cyrchu'r
gornel, gwerth y byd
yw Gareth Bale.

12 Hydref 2010 | 18:46

#Tîm Rygbi Lloegr – Cwpan y Byd 2011

Rhyw lanast ar olwynion a write-off yw'r chariot hon.

1 Hydref 2011 | 09:34

#Beirdd Gwlad Belg

Cynghanedd wirioneddol drwy un faner ger y gôl.

8 Medi 2012 | 06:32

#Profiad Cyffredin Cefnogwr Chwaraeon o Gymro

Oriau du lawr yng Nghaerdydd a Luton, dim lot o lawenydd yn Sheffield chwaith – ddiffaith ddydd.

3 Mai 2012 | 19:54

#Forza Italia

Taweled Balotelli hen heip ein cymdogion ni.

24 Mehefin 2012 | 18:19

#MOTD

Syrffed o weithred wir-yr ydyw siarad â Shearer.

14 Mehefin 2011 | 20:48

#Lloegr 1 UDA 1

Nid da yw grip Robert Green.

12 Mehefin 2010 | 19:17

#Lloegr yn Cyrraedd y Ffeinal (o fath)

I wlad uwchlaw'r holl wledydd, Howard Webb sy'n cario'r dydd.

8 Gorffennaf 2010 | 18:27

#GB - Gwaredigaeth a Bendith

Un anaf siŵr ei annel, gwyrth o beth, dim Gareth Bale.

30 Mehefin 2012 | 12:42

#W Capten

Ryan Giggs, fy mrenin gynt – y cawr aeth gyda'r cerrynt.

17 Gorffennaf 2012 | 22:02

#Test Match Special

Daw'r darlun drwy dy weirles, y mae hud i TMS.

6 Ionawr 2011 | 23:49

#PUM GŴR DOETH
TEAM GB
[GYDA DIOLCH I GERALLT]

Y RHAI YNG NGHORNEL
Y RHWYD YW'R
DYNION A BRYDEINIWYD.

3 GORFFENNAF 2012 19:22

#Paradwys Ffŵl 2014

Croeswn Yr Alban, Croatia a Belg heb ofn, a thrwy
Serbia y down o Facedonia i Rio a'i haul 'mhen tri
ha'.

1 Awst 2011 | 9:04

#Hyder a Siom

Dros Speedo i Rio yr awn.
7 Medi 2012 | 07:10

Syth heibio i Rio yr awn.
11 Medi 2012 | 19:27

#Dal i Gredu

Agorwyd ffordd i'r gorwel, mor hyfryd yw byd
y Bale.
12 Hydref 2012 | 21:33

#Cofio Iwan 1

O raid, mae'r enaid aflonydd yn daer i dorri
tir newydd ar y daith a dathlu'r dydd, y lôn
yw ei lawenydd.

30 Mai 2010 | 09:49

#Mi wn am dŷ ...
Yn Nhŷ Coz mae gwreichion cân, a rhai'n hel o'r
nos gylch y pentan, y mae awch i'r siarad mân ond
t'wyllwch oer tu allan.
4 Tachwedd 2010 | 21:12

#Ben-ben gyda'r Beirdd
Ger byrddau pwyllgor Barddas y mae awch ar
gwympo mas.
9 Hydref 2010 | 14:40

#Pwyllgor Barddas
Ger y lli mewn pwyllgor llên yn trio sortio'r awen.
19 Chwefror 2011 | 13:46

#Golygu Rhifyn o Barddas
Gwn nad i hyn y'm ganwyd – i lenwi lle Alan Llwyd.
27 Mehefin 2011 | 22:57

#Croeso i @trydarbarddas

Ar rwydwaith gwyllt y trydar daeth Barddas
ag urddas gwâr.

11 Mawrth 2012 | 22:39

#Cynnal Noson

Ffoadur mewn ffau ydwyf, rhyw ŵr gwadd o
garreg wyf, yn nerfus ag ofn dirfawr y dof at
Ferched y Wawr.

19 Hydref 2011 | 18:45

#Sgwrs am THP-W yn Yr Wyddgrug

Mae'r dilyw ym Mro Delyn fy Nuw, er suddo fan
hyn, gwn, nad oes gwaith amgenach – herio'r lli
dros Barri bach.

25 Medi 2012 | 19:12

#Urdd 2011
Arwr gŵyl ydy Llŷr Gwyn, un dalent gwerth ei dilyn
a hefyd Guto Dafydd, fel y glaw fe ddaw ei ddydd.
2 Mehefin 2011 | 18:30

#Cadair Wrecsam 2011
Rhys Iorwerth, ti yw'r seren i'n tywys tua llys llên.
6 Awst 2011 | 13:57

#Sêl Barddas
Gwyraf dan ergyd gerwin – fy awen mewn
'bargain bin'.
22 Ionawr 2012 | 21:19

#Peth-e Achlysurol
Wele roi fy nghyfrol rad i'w hwpo ar eich iPad!
1 Chwefror 2012 | 08:06

Ar Lan y Môr

Ar draeth ein hunaniaeth ni, mae hiraeth mewn rhosmari.

17 Mawrth 2009 | 23:15

#Cofiant Kate

Anwes dwy mewn oes sidêt fu heddiw yn fodd i greu racet, ar seiliau nid rhy solet, mam pob cam ga'th Dr Kate.

2 Chwefror 2012 | 18:12

#Gŵyl Gynganeddu 2011 – Cyffro'r Gweithdy Trydar

Ymhen dim, mi wn, daw dydd y down ni i Dŷ Newydd i drydar holl drawiadau hen ein crefft mewn cywair iau.

24 Tachwedd 2011 | 00:30

#Gŵyl Gynganeddu 2011 – Canslo'r Gweithdy Trydar

Hen wae ddaeth o Dŷ Newydd, gair ar ffôn yn bygro ffydd, does dim adyn hŷn nac iau mo'yn trydar mewn trawiadau.

24 Tachwedd 2011 | 17:58

#Gŵyl Gynganeddu 2011 – Myrddin ap Dafydd yn Holi Rhys Iorwerth

Dawn holi Myrddin fel sgwrs dros ginio, difyr y siarad efo @rhysioro.

26 Tachwedd 2011 | 17:57

#Gŵyl Gynganeddu 2011 – Gwyn Thomas yn Trafod Dafydd ap Gwilym

Yr haf oedd tymor Dafydd, crefftwr-ddiddanwr ei ddydd.

26 Tachwedd 2011 | 17:34

#Gwyn Thomas

Drwy'r bwlch rhwng brodir a byd yr aethost â'r iaith i chdi'n gerbyd a chael ym mhob dychwelyd dragwyddol heol o hyd.

26 Tachwedd 2011 | 19:34

#Cofi Broc

Yn ôl at y Talwrn o hyd y dof, fel dyn at ei
ddedfryd, a chael bod rhaid dychwelyd eleni
yn Gofi i gyd.

7 Chwefror 2012 | 00:26

#Talwrn Fatigue

Y mae cynnal y Talwrn 'rôl rownd neu ddwy'n
fwy o fwrn. Diffaith pob gobaith am gerdd –
diergyd fy nhrydargerdd.

5 Gorffennaf 2012 | 00:03

#I @Lewispoet, Eisteddfod Bro Morgannwg 2012

Gwyneth, mae gwlad yn gwenu o weld hofran
y frân fry.

6 Awst 2012 | 17:22

#Llygredd Llên

Tu ôl i feic
y Talwrn i gael
deg rhaid wrth
gil-dwrn.

6 Gorffennaf 2012 | 22:58

#I Bwy Bynnag

Rho in gân brynhawn Gwener, un a glyw ein gwlad
wedi'r ffanfer, ei nodau'n ennyn hyder a thraw
ei halaw yn her.

10 Awst 2012 | 06:54

#Llyfr y Flwyddyn 2012

Crynhoi wnaeth Karen Owen â'i llyfr ddwy
o wobrau'n llên.

12 Gorffennaf 2012 | 22:55

#Cofio Iwan 2

Gam wrth gam trof innau i'r gwyll yn dawel, mae'r
lôn dywyll yn loyw, mi glywa' i Iwan ar ei siwrnai
gyda'i gân.

14 Hydref 2010 | 17:57

#Yn Rhyd-ddu
Y mae cân ein ffwdan ffôl ar wasgar gylch Tŷ'r Ysgol.
10 Mehefin 2012 | 16:16

#Ysgol Glan Clwyd
Nôl yma eto'n fy Alma Mater a thaer yw'r ymson
'Ble'r aeth yr amser?'
6 Medi 2012 | 07:50

#Llety Parc, Aberystwyth
Yr un yw'r berwyl ar ôl y gwyliau, dof fan hyn
i'r gyfnewidfa neiniau.
29 Rhagfyr 2010 | 12:13

#Sgymraeg ym Mangor
BM – rhyw gwmni o bant yn poeri Cymraeg peiriant.
25 Medi 2012 | 21:12

#Anelu'n Uwch

Fry ar gopa'r Wyddfa'r wyf, trydar o uchder ydwyf.
23 Hydref 2012 | 12:04

#Ap Geiriaduron

Daeth ap i'm gwneud yn hapus, o'r rhwydwaith ces eiriadur swmpus, a gwn y bydd ei gynnwys yma o hyd ar flaen fy mys.
23 Hydref 2012 | 07:52

#Ceir Cymru

I garej a'i cheir rhagorol yn rhes, ei phrisiau'n rhesymol a'r trafod mor gartrefol, fe wn i y dof yn ôl.
26 Ebrill 2009 | 15:39

Wedi'r gorchwyl rwy'n disgwyl disgownt!
26 Ebrill 2009 | 15:41

#Rhwng

Dod i Lambed a mynd i limbo, onid dyna fy nhynged heno?

13 Ebrill 2011 | 18:23

#2 ŵyl 2 ddiwylliant

Hyd y prom mae'r bandiau pres yn herio'r delyn deires.

12 Tachwedd 2011 | 14:38

#Rhwng Wembley a Felindre

Rwy'n Jac o'r gogledd heddiw yn y llacs yn Nyffryn Lliw.

30 Mai 2011 | 09:36

#Hasbîn Aberystwyth

Yn ôl ym Mhantycelyn, mae nostalgia'n dda i ddyn.

14 Medi 2011 | 09:29

"Ydych chi erioed wedi ystyried gwneud eich busnes yn symudol?"

golwg | 23 Chwefror 2012

#Gwrtaith ar Daith

Hudo'r hil at gastiau drwg – gwyliwch rhag cylchgrawn Golwg.

23 Chwefror 2012 | 20:27

#Termiadur Addysg Ar-lein

Ar-lein mae gwir lawenydd a nodded i'n haddysg a'i chynnydd o ryddhau holl dermau'r dydd yn niwyg y byd newydd.

22 Mawrth 2012 | 07:48

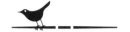

#Geiriadur Briws ar-lein

Y mae Briws wedi sbriwsio,
yn ei wedd y mae heddiw'n
pefrio, ar rwydwaith bydd ei iaith
o yn parhau rhag pob breuo.

28 Chwefror 2012 07:46

#Agor JM-J ar ei Newydd Wedd

 Â Meinir yma heno yn rhoi cân a'r côr
yn datguddio doniau teg, o dan un to yn JM-J
y mae joio!
12 Mawrth 2012 | 18:30

#Ar Furlun Neuadd JM-J

Mae'r Gymraeg ym muriau hon a'i hwyl yn
ei thrigolion.
31 Awst 2012 | 07:56

#Ffarwél Eisteddfod Sir

Darfu'r steddfodau hirfaith a'r awch i gynnal yr iaith!
31 Mawrth 2012 | 12:34

#Eisteddfod yr Urdd Glynllifon 2012

Mewn defod eisteddfodol – cynffon i Gaernarfon 'nôl.
4 Mehefin 2012 | 08:58

#Artaith ar Daith

Adre'n ôl mae heol o hyd yn dirwyn drwy
diroedd ein symud, llinell wen o ben draw'r
byd a chalon am ddychwelyd.

20 Medi 2012 | 12:09

#Marathon

Drwy'r curlaw o Gwm Tawe hir yw'r daith yn ôl
o'r de, car rhy lesg yw'r car ar log, oedaf gerllaw
Tremadog gan nad oes poke mewn Focus ...
11 Tachwedd 2010 | 18:20

... mae'n rhy slo i basio bỳs ara' deg yr X32, difynedd
ydwyf finnau, myn Duw pe cawn Mondeo, adre'r
awn mewn byr o dro.
11 Tachwedd 2010 | 18:22

#A4llwyth7

Slo yw dyfod pan fo Mansel Davies yn trio gyrru ei
lwyth trwy Gorris.
11 Tachwedd 2011 | 12:14

#A48llaith

Noa, â hyder fe'i heriwn i lywio'i arch drwy'r dilyw hwn.
17 Medi 2011 | 16:34

#Tuag Aber

Ara' deg a hir yw'r daith yn ôl i Aber eilwaith; rwy'n grac, mae'r ŵyl darmacio yn ei bri a thractors bro'n rheoli ar yr hewlydd ...

9 Gorffennaf 2011 | 12:57

#Arriva Fail 1

Drwy'r Rhyl ar drên di-droli, mae gwanc yn fy stumog i.

17 Mehefin 2010 | 06:48

#Arriva Fail 2

Hen drên ar gledrau uniaith lawr i'r de, yn ôl â'r daith.

1 Chwefror 2011 | 13:39

#Arriva Fail 3

I Gaer ar drên dwy garej, un o lu yn sownd fel wej!

25 Chwefror 2011 | 11:08

#Service Terminating at Chester

Rwy'n diodde' ar drên diddim, dyw Arriva'n dda i ddim.

25 Gorffennaf 2012 | 19:32

#Tro ar y Trên

Rhywfodd, daeth trên Arriva â ni i'r de mewn amser da.

30 Ionawr 2012 | 19:14

#Cledrau Cynnar

Yn nhre' Caer cyn codi'r cŵn, yn ôl i'r de anelwn.

30 Ebrill 2010 | 05:18

#Lôn-Lid

Mae mypedau'r M4 angen creu cynnen mewn car.

4 Mai 2011 | 18:15

#A487

Diar mi, mae wedi 8,
hastiaf am Aberystwyth
drwy wlad o oleuadau ar
goch a phontydd ar gau;
A487 artaith yw, ond
wedyn, fy myd ydyw.

3 Chwefror 2011 | 08:03

#Cyffordd
Yn Crewe ar hyd gledrau croes mae hen batrymau einioes.
2 Mawrth 2010 | 07:46

#Ar y trên
'Mlaen ar daith yr heniaith hon yr awn ar gledrau union.
14 Mehefin 2012 | 09:22

#Y felan yn Y Fali
Newydd prudd, ond nid syrpreis, daearwyd Highland Airways; rhew anwel ar y rynwe – dim gobaith i'r daith o'r de.
12 Ionawr 2010 | 10:06

#Tro Cyntaf ar Manx 2
Awyren od ar y naw yw hon o Ynys Manaw.
25 Mai 2010 | 16:21

#Manx 2 eto fyth

Herio gwlad y gwynt a'r glaw ym mynwes deryn Manaw.

6 Ebrill 2011 | 07:34

#Dros Fôr Hafren

O le uwch drwy'r awyr las fe ddown at y brifddinas.

14 Medi 2012 | 08:40

#Mewn Cwmni Dethol

Ehedwn gyda hyder, mae'r dyn ei hun ar Ieuan Air.

26 Ebrill 2012 | 15:11

#Dargyfeiriad

Ni ddof at Bont-ar-Ddyfi, trwy adwy'r Fawddwy af i.

15 Medi 2010 | 06:32

#Seidin
Hanner awr yng ngorsaf Crewe – rhyw oed diamser ydyw.
22 Mai 2011 | 14:12

#Tua Chwm Ystwyth
Yn wyneb lôn wahanol, ein natur ni yw troi'n ôl.
6 Gorffennaf 2012 | 22:34

#Fflat
Ar hewlydd, mawr yw'r helynt mewn car ar deiar di-wynt.
1 Medi 2011 | 06:59

#Persbectif
Mor fân pob ffwdan a ffŷs o sefyll ar Vesuvius.
17 Awst 2011 | 15:28

#TEG EDRYCH

Y MAE'R TRÊN ADRE'N ÔL RYWFODD YN FWY CARTREFOL.

29 HYD 2009 | 18:12

#Arrivederci

Yn Napoli ar ein plên, o wel, ffarwél i'r heulwen.

19 Awst 2011 | 19:23

#Llandrindod

Sadistiaeth genedlaethol yw trip hir i'r Metropole.

27 Medi 2009 | 22:38

#Ymweliad Brenhinawl

'Da'r cwîn yn y brifddinas, ai i mi mae'r fflagiau mas?

26 Ebrill 2012 | 08:04

#Salut

Â San Miguel hirfelyn, paella sy'n dda i ddyn a tapas fesul tipyn.

15 Awst 2009 | 19:27

#Gwely'n Galw
Gŵr gwan sy'n llosgi'r gannwyll, yn rhy gaeth
i herio'r gwyll – nos da i'r hirnos dywyll.
20 Ebrill 2012 | 00:39

#Yr awen foreol
Y mae awen amgenach yng ngeirie y bore bach.
29 Tachwedd 2009 | 5:16

#Troi a Throsi

Daw o'r noson aflonydd ryddhad ar doriad y dydd.

31 Mawrth 2009 | 05:58

#Trannoeth

Drwy'r mudandod defodol, yn y bwlch lle bu'r geiriau ysol yn duo'r hwyr a throi'r drol, mae 'sori'n' wawr amserol.

3 Chwefror 2012 | 06:48

#Diwedd Tymor

Heb bwysau yr iau ar war, daw'r adeg eto i drydar.

23 Rhagfyr 2010 | 08:14

#Bore Tywyll

Myn Duw y mae hi'n dywyll ... geiriau yw'r golau'n y gwyll.

27 Hydref 2011 | 05:42

#Penyd

Heddiw, fe ges fy haeddiant, dwi'n dacsi i'r Ŵyl Cerdd Dant.

13 Tachwedd 2010 | 07:41

#Mater o Acennu

Ai rybish ddaw drwy'r ebost neu ai rhyw boitsh
drwy'r e-bost?

23 Rhagfyr 2010 | 10:52

#Llyfrgell fy Nhad

Ar gyrion gwâr y geiriau, yn yr hollt sydd rhwng y
llinellau, mae beiro Eic am barhau'n ddylanwad ar
ddalennau.

31 Mawrth 2009 | 19:25

#For the sake of ...

I'll concede, when the deed's done, a tweet is
affectation.

21 Mawrth 2011 | 18:00

#Gweld yn glir

Drwy'r baw
ar wydrau bywyd,
du a gwyn sy'n
llwyd i gyd.

**1 Hydref 2012
22:54**

#Llawysgrifen
Yn nhywyllwch llinellau, yn yr awch sydd yn nhro'r
cynffonnau, yn ara' deg mae stori dau yn gwyro
gyda'r geiriau.
11 Mai 2012 | 01:18

#Nos Sadwrn go neis ydyw
Oedi'r wyf â'r dydd ar drai yma'n Nirfana'r Fenai,
fin hwyr, braf yw'r Sauvignon ddaw â lliw
i wedd Llion.
21 Gorffennaf 2012 | 20:25

#Hen Albwm Lluniau
Hanesion i'w hanwesu yw ei ddail, mae ddoe wedi'i
drefnu yn dal rhwng y gwyn a'r du lawenydd heb
felynu.
8 Chwefror 2010 | 11:11

#Meds@50

Ymadael sydd raid i Medwyn heno â'i
ddeugeiniau cyndyn, arswydaf pa mor
sydyn yr aeth genhedlaeth yn hŷn.
5 Mai 2012 | 21:35

#Priodas Catrin a Ceri

Rhwng Bangor a'r gororau, un yw'r gêm a'r gân
mewn calonnau, cariad yw sy'n cario dau'n gytûn
ar frig y tonnau.

29 Medi 2012 | 11:57

#Delilah a Gloria ein gwlad

Gŵr 'Y Llais', gwir arwr llu – a rhyw byntar o Bonty!

18 Mawrth 2012 | 17:20

#I groesawu @emrysapiwan i fyd trydar
Awdur hoff fy annwyl dre', ai dadrith yw dod adre'?
24 Ionawr 2010 | 12:36

#Cyfarchiad i @rhysllwyd ar ddarfod ei PhD
O'i anfodd mae gwaith enfawr wedi'i gloi rhwng
dau glawr.
29 Mehefin 2011 | 00:00

#Priodas Tudor a Beth
Dau agos uwch eu digon, dau yn un yn dwyn haul
cariadon a golau braf dwy galon ar fodrwy rhwng
Merswy a Môn.
28 Ebrill 2012 09:44

#Dai Greene
Â'n gwlad yn llawn o glwydi, llwyddo wrth neidio
wnawn ni.
10 Hydref 2010 | 15:26

#Er Cof am Geraint George

Mae Cymru'n un, fe'n dysgaist ni erioed, yn un ffrwd o
egni rhedai dŵr dy Dawe di drwy erwau llwyd Eryri.
8 Ebrill 2010 | 14:39

#Marian a Bryn – Enillwyr Gwobr John a
Ceridwen Hughes

A ninnau'n gaeth i'n hofnau i gyd, yn rhoi'r
Gymraeg yn ei gweryd, mae dau â'u bwrlwm diwyd
yn sodro'r iaith ar y stryd.
27 Ionawr 2012 | 18:52

#Priodas Lowri a Kristján

Ar hyd a lled y gwledydd y daethoch ar daith o
lawenydd, a'ch cysur yw dathlu'r dydd ym mynwes
braf Penmynydd.
30 Gorffennaf 2011 | 10:36

#Priodas Elen ac Alwyn

Mae yn uniad cariadon
lawenydd hyd y glannau'r
awron, bro Gele biau'r galon
sy'n gynnes ym mynwes Môn.

25 Gorffennaf 2009 | 10:12

#Priodi mewn Eira Mawr

Nid yw oerni Edeyrnion yn creu ias, mae Craig
a Rhiannon yn rhoi gwres drwy'r fodrwy gron
a golau twym dwy galon.
18 Rhagfyr 2010 | 12:42

#Ar ymadawiad tiwtor

Direol yw'n cystrawen yma'n awr, mae'n hiaith
yn anniben, rhoddwyd taw ar yr awen, daeth
rhediadau berfau i ben ...
4 Ebrill 2011 | 20:36

Colli seren, colli Sara, un loyw a chlir ar yr yrfa, ond
un lachar sy'n para yw trysor o diwtor da.
4 Ebrill 2011 | 20:37

#I Cen Williams a chwrs y Cynllun Sabothol

Troist eiriau teg strategaeth yn hyder a'i nodau'n
rhagoriaeth, a'th gynllun o'i ddilyn ddaeth yn un
sy'n gwneud gwahaniaeth.
9 Gorffennaf | 18:07

#I gyfarch Duffy

Gyda hiraeth y traethau ac enaid o gynnwrf
y tonnau, dy lais sy'n troi adleisiau'n doeau ni
yn drydan iau.

11 Gorffennaf 2011 | 16:17